Ulysse prisonnier du cyclope

Premières lectures

* Je commence à lire tout seul.
Une vraie intrigue, en peu de mots, pour accompagner
les balbutiements en lecture.

** Je lis tout seul.
Une intrigue découpée en chapitres pour pouvoir faire
des pauses dans un texte plus long.

*** Je suis fier de lire.
De vrais petits romans, nourris de vocabulaire et de
structures langagières plus élaborées.

Hélène Kérillis a plongé dans la mythologie
grecque dès l'enfance et ne cesse de la revisiter. Elle
aime aussi l'art et les voyages, la lecture et l'écriture,
qui donnent de si belles couleurs à la vie

Grégoire Vallancien dessine depuis toujours,
il aime beaucoup ça. Il aime aussi Paris et la
Méditerranée, les romans policiers et la mythologie.
Dessiner des histoires et surtout... en lire à ses
enfants !

Responsable de la collection :
Anne-Sophie Dreyfus
Direction artistique, création graphique
et réalisation : DOUBLE, Paris
© Hatier, 2012, Paris
ISBN : 978-2-218-97031-3
ISSN : 2100-2843
Tous droits de reproduction
et d'adaptation réservés pour tous pays.
Loi n° 49956 du 16 juillet 1949 sur
les publications destinées à la jeunesse.

PAPIER À BASE DE
FIBRES CERTIFIÉES

Hatier s'engage pour
l'environnement en réduisant
l'empreinte carbone de ses livres.
Celle de cet exemplaire est de :
250 g éq. CO_2
Rendez-vous sur
www.hatier-durable.fr

Achevé d'imprimer par Clerc à Saint-Amand-Montrond – France
Dépôt légal : 97031 3 / 04 – décembre 2014

MA PREMIÈRE
MYTHOLOGIE

Ulysse prisonnier du cyclope

texte d'Homère adapté par Hélène Kérillis
illustré par Grégoire Vallancien

HATIER
POCHE

Ulysse, l'homme aux mille ruses et au courage indomptable.

Les **compagnons** d'Ulysse sont prêts à le suivre au bout du monde.

Le **cyclope**, monstre sauvage et cruel.

CHAPITRE 1
L'île mystérieuse

La guerre est finie. Les Grecs ont gagné.
Victorieux, Ulysse monte dans son
bateau avec ses compagnons.
– On rentre à la maison!
La route sera longue, mais Ulysse n'a
peur de rien.

Au début, le bateau file sur l'eau à bonne vitesse. Malheureusement, les dieux se fâchent et une tempête se lève. Puis une autre. Le vent souffle comme un fou. Les voiles se déchirent. Les rames se cassent.

– On va faire naufrage !

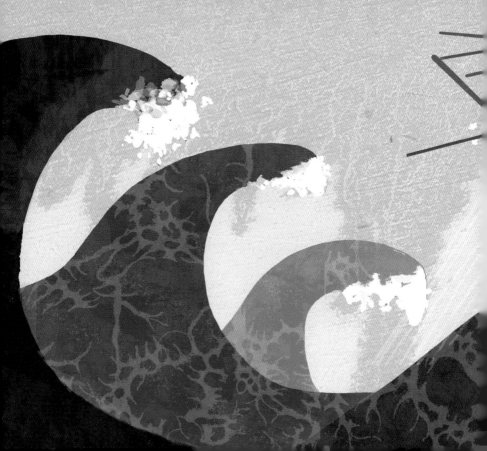

Le vent pousse alors le bateau sur une
île déserte. Ulysse part à sa découverte
avec ses compagnons. Soudain,
il entend des voix et s'arrête :
– Écoutez !
Tout près, il y a une autre île,
enveloppée dans le brouillard. Et si elle
était habitée ?

10

Une forme apparaît : on dirait une
montagne qui bouge. Les compagnons
d'Ulysse ont peur. Ils veulent s'enfuir.
Pas lui.
– Je me demande ce que c'est...
Qui est prêt à venir avec moi ?

11

Encouragés par leur chef, quelques hommes se décident. La traversée est vite faite. Quand ils débarquent, ils ne voient ni maison ni champ. Tout est sauvage.

Bientôt, Ulysse découvre une grotte immense. À l'intérieur, il y a des étagères couvertes de fromages énormes.

– Quelqu'un habite ici!

– Il y a longtemps qu'on n'a pas mangé de fromage!

– On en prend un et on file!

– Pas si vite! dit Ulysse.

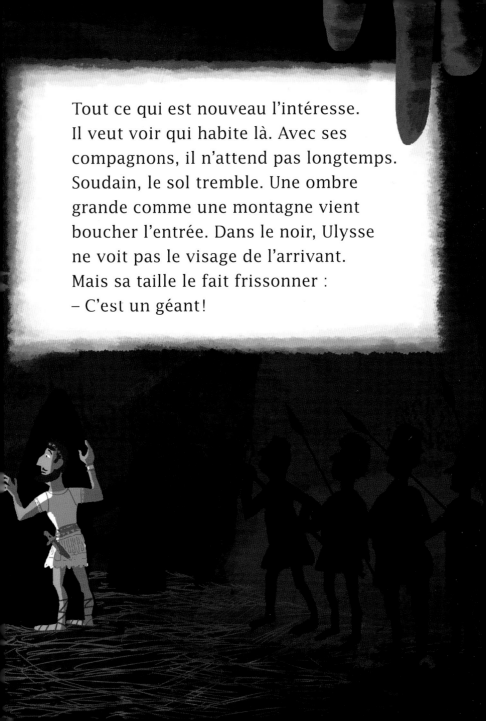

Tout ce qui est nouveau l'intéresse.
Il veut voir qui habite là. Avec ses
compagnons, il n'attend pas longtemps.
Soudain, le sol tremble. Une ombre
grande comme une montagne vient
boucher l'entrée. Dans le noir, Ulysse
ne voit pas le visage de l'arrivant.
Mais sa taille le fait frissonner :
– C'est un géant!

CHAPITRE 2
Prisonniers!

Le géant rentre chez lui avec son
troupeau de brebis. Il jette à terre
un fagot de bois pour allumer le feu.
Quel bruit! On dirait une forêt qui
tombe. Ulysse et ses compagnons se
sont cachés.
Le géant roule un énorme rocher devant
l'entrée. La grotte est fermée! Les Grecs
sont prisonniers!

Le géant allume le feu. La flamme
éclaire son visage. Ulysse recule
d'horreur. La créature a bien un nez
et une bouche, mais pour le reste...
Un œil énorme, un œil unique s'ouvre
au milieu de son front !
– Un... Un cyclope ! murmure Ulysse.
Il sait que les cyclopes sont des êtres
cruels. Cette fois, il a réellement peur.
Mais c'est lui qui a voulu rester dans
la grotte. Il doit tout faire pour sauver
ses compagnons.

Avec courage, Ulysse quitte sa cachette
et s'approche du monstre. Ses hommes
avancent derrière lui.

– Qui êtes-vous, étrangers? demande
le cyclope.

La grosse voix fait sauter le cœur
d'Ulysse dans sa poitrine.

– Nous sommes des Grecs. Au nom
de Zeus, le roi des dieux, je te supplie
de bien nous accueillir!

– Ha! Ha! Ha! Je ne crains personne, ni
Zeus ni aucun dieu! Tu peux toujours
supplier!

La caverne tremble, tellement le rire du cyclope est fort. Brusquement, il avance la main, saisit deux hommes et les dévore. Ulysse est glacé d'horreur.

Puis le monstre s'endort.

Comment sortir de la grotte ?

Impossible de déplacer le rocher.

Ulysse ne peut pas dormir de la nuit.

Il cherche comment faire pour échapper au monstre.

Au matin, le cyclope roule le rocher et quitte la grotte avec son troupeau.

Bien sûr, il n'oublie pas de refermer le passage.

Ulysse s'installe devant le feu avec
ses hommes :
– Voilà ce qu'on va faire... dit-il.

CHAPITRE 3

La ruse d'Ulysse

Le soir, le cyclope est de retour. À nouveau, il roule le rocher pour fermer l'entrée. Ulysse s'approche et lui dit :
– Voici un cadeau pour toi. Je te l'offre en espérant que tu nous laisseras partir.
– Donne toujours !

Ulysse tend au cyclope une outre
remplie de vin pur. Le monstre la vide
en un rien de temps. Il se sent gai tout
à coup !
– Haaaa, ça fait du bien ! Donne-m'en
d'autre, petit homme ! Et dis-moi ton
nom...
Ulysse sert trois fois le cyclope dont
l'esprit est bientôt embrouillé par le
vin. Ulysse lui dit alors :
– Tu veux savoir mon nom ? Je
m'appelle Personne !
– Pers... hic ! Personne ? Drôle de nom !
Hic !

Et le cyclope se renverse en arrière.
Il s'endort le ventre à l'air. Il ronfle
comme un volcan.
– C'est le moment! s'écrie Ulysse.
Il passe à l'attaque avec ses
compagnons. Ils saisissent une bûche
dans le feu et aveuglent le monstre.
– Raaaaaaaaaah!

Réveillé par la douleur, le cyclope
pousse des hurlements de tonnerre.
Puis ses grandes mains fouillent
partout. Vite, Ulysse et ses compagnons
vont se cacher.
Soudain, on entend un bruit de
galopade à l'extérieur. D'autres cyclopes
se sont rassemblés devant la grotte
fermée.

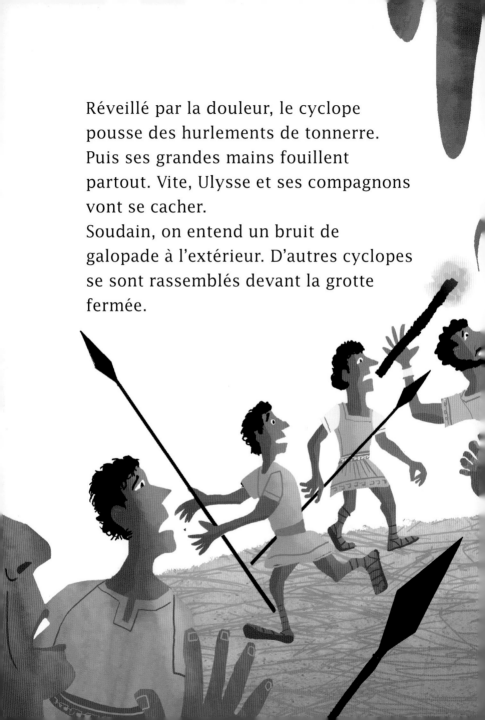

Ils demandent à leur frère :
– Que t'arrive-t-il ?
– On m'a aveuglé !
– Qui t'a fait ça ?
– C'est Personne !
– Si c'est personne, on ne peut rien
pour toi ! Il faut attendre que ça passe…
Et ils s'en vont chacun de leur côté.
Ulysse et ses hommes respirent. Mais
ils ne sont pas encore sauvés : le rocher
est toujours en place…

CHAPITRE 4
Le troupeau de moutons

– Je vais tous vous dévorer!
Le cyclope est en rage. Ses grosses
mains renversent les étagères.
Le troupeau affolé court en tous sens.
Alors le monstre change de tactique.
Il s'assoit à côté de l'entrée de la grotte.
Il déplace le rocher, juste assez pour
laisser passer ses bêtes une par une.

– Allez, mes brebis, allez goûter la
bonne herbe! dit-il.
Mais il pense :
– Ces imbéciles de Grecs vont se
précipiter vers la sortie. Alors je les
attraperai!
Les brebis se bousculent pour aller
dehors. Le cyclope les tâte une à une.
Dès qu'il sent la laine sous ses doigts,
il laisse passer la bête.

Ulysse comprend très bien le piège. Il trouve tout de suite une nouvelle idée :
– On ne peut pas sortir d'ici sous forme humaine ! Il faut devenir mouton.
– Mouton ? Et… comment ?
– Comme ça !

Ulysse se couche par terre. Il attrape
une énorme brebis et se cramponne
sous son ventre. Puis il se décroche
et murmure à ses compagnons :
– Dépêchez-vous! Il ne reste plus
beaucoup de bêtes!

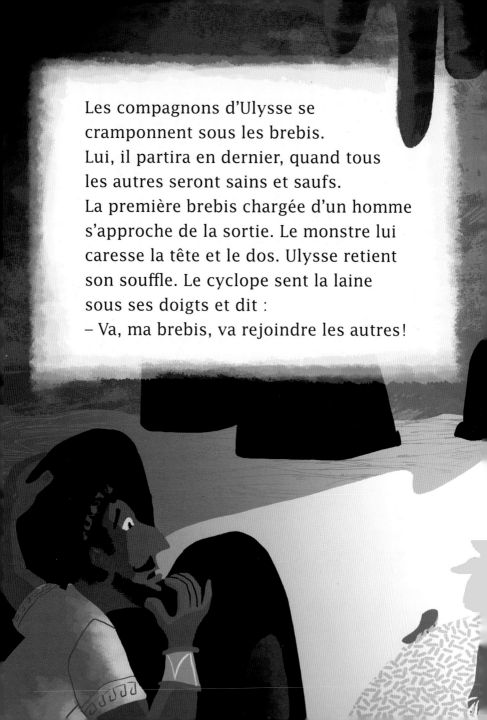

Les compagnons d'Ulysse se
cramponnent sous les brebis.
Lui, il partira en dernier, quand tous
les autres seront sains et saufs.
La première brebis chargée d'un homme
s'approche de la sortie. Le monstre lui
caresse la tête et le dos. Ulysse retient
son souffle. Le cyclope sent la laine
sous ses doigts et dit :
– Va, ma brebis, va rejoindre les autres!

Tous les compagnons d'Ulysse
s'échappent de la même façon. Il ne
reste plus que le bélier dans la grotte.
Il est beaucoup moins calme que les
brebis, mais Ulysse est fort. Et il a une
volonté de fer. Il se cramponne sous
le bélier et se laisse porter jusqu'à
l'entrée.

Le cyclope arrête
l'animal.
– Mon beau bélier,
d'habitude, tu es
toujours en tête!
Pourquoi es-tu le
dernier cette fois?

Ulysse sent les gros doigts qui le
frôlent. Si jamais le cyclope passe
la main sous le ventre de la bête...
– Tu as pitié de moi, c'est pour ça?
dit le cyclope. Tu es une bonne bête...
Après une dernière caresse, il lâche
enfin l'animal.

Le bélier bondit au dehors, Ulysse avec lui.

– Vite, au bateau !

Les Grecs courent au rivage. Ils tirent sur les rames de toutes leurs forces. Les voilà au loin. Les voilà sauvés !

Ils ont encore une longue route à faire pour rentrer chez eux. Mais avec Ulysse, ils ne perdent jamais courage !

HATIER
POCHE

POUR DÉCOUVRIR :

> **des fiches pédagogiques** élaborées par les
enseignants qui ont testé les livres dans leur classe,
> **des jeux** pour les malins et les curieux,
> **les vidéos** des auteurs qui racontent leur histoire,

rendez-vous sur

www.hatierpoche.com